D1110012

Ambroise
bric-à-brac

Francine Allard

Ambroise
bric-à-brac

roman jeunesse

illustrations de
Jean-Marc Saint-Denis

TROIS

Cet ouvrage est publié dans la collection
JAMAIS DEUX SANS TROIS.

© Éditions TROIS
4882, rue Cherrier, Laval (Québec) H7T 2Y9
Tél.: (450) 978-5245, télec.: (450) 978-0899,
courriel: ed3ama@videotron.ca

Diffusion pour le Canada:
PROLOGUE
1650, boul. Lionel-Bertrand,
Boisbriand (Québec) J7E 4H4
Tél.:   (450) 434-0306,
télec.: (450) 434-2627

Diffusion pour la France et l'Europe:
D.N.M.
30, rue Gay Lussac,
75005 Paris France
Tél.:   43 54 49 02,
télec.: 43 54 39 15

Cet ouvrage a été publié grâce à une subvention du Conseil des Arts du Canada et de la Société de développement des entreprises culturelles au Québec.

Données de catalogage avant publication (Canada)
Allard, Francine
     Ambroise, bric-à-brac

     (Jamais deux sans TROIS)
     Pour les jeunes de 9 à 12 ans.

     ISBN 2-89516-066-X

     I. Titre.   II. Collection.

PS8551.L547A42 2004   jC843'.54   C2004-941470-4
PS9551.L547A42 2004

Dépôt légal: Bibliothèque nationale du Québec
             Bibliothèque nationale du Canada
             4e trimestre 2004

Illustration de la couverture et illustrations à l'intérieur: Jean-Marc Saint-Denis.

Ce roman est pour toi, papa, qui as dû fermer boutique parce qu'un gros *Pascal* est venu te cacher le soleil de la rue Wellington. Pourtant, il n'y avait pas plus joli sourire que celui du propriétaire de la Quincaillerie Allard dans tout Verdun.

Rien n'est plus humiliant comme de voir les sots réussir dans les entreprises où l'on échoue.
Gustave Flaubert,
L'éducation sentimentale

Chapitre 1
Le gentil commerçant de Sainte-Pétronelle

Il y a bientôt quinze ans qu'Ambroise tient une quincaillerie sur la rue des Margotons. Une boutique très achalandée où se côtoient les gens du village de Sainte-Pétronelle, pour placoter un brin, mais aussi pour acheter des objets hétéroclites. Un mot savant pour dire qu'ils achètent de tout : des réveille-matin, des pots de peinture, des vis et des clous, du papier peint et des bouilloires électriques. Ambroise est heureux car il sait qu'il rend beaucoup de services aux Pétronellois qui viennent l'encourager de temps à autre.

— Bonjour, madame Poupart ! Votre fils va bien ? Comment a-t-il aimé la voiturette que je vous ai vendue le mois dernier ?

— Ça roule, monsieur Ambroise, merci beaucoup.

— Bonjour, monsieur Simard ! Votre réservoir à propane fonctionne toujours bien ? demande-t-il encore.

— Ça gaze, monsieur Ambroise, ne vous en faites pas.

— Et ces freins à tambour pour ta bicyclette, mon cher Théodule, tu es satisfait ?

— Ça boume, Ambroise ! Je freine comme un bœuf devant une clôture, merci !

Ça roule, ça gaze, ça boume ! Ambroise est constamment de fort bonne humeur et sa clientèle l'apprécie beaucoup.

Le quincaillier coule une vie très confortable à quelques pas de la rue des Margotons à Sainte-Pétronelle. Il possède une petite voiture, une jolie maison, un beau jardin, et une épouse coquette qui s'appelle Claudette. Une vie très agréable, vous dis-je.

Jusqu'au jour où...

Chapitre 2
Un rival de taille

Un matin, alors qu'un soleil timide se cache derrière quelques cumulus, Ambroise ouvre comme d'habitude la porte de sa boutique de quincaillerie et tend son auvent à l'aide de son tourniquet à auvent. Comme d'habitude, il va saluer ses voisins, Abraham, le fabricant de draperies sur mesure et Antoinette, la bijoutière. Comme d'habitude, il se rend à l'arrière-boutique, branche la bouilloire et se coule un café frais. Ambroise n'a rien aperçu qui soit différent des autres matins.

Vers 9h10, Ambroise entend des bull-dozers, des grues et des pelles mécaniques se lamenter devant sa boutique. Les bruits de ces machines ne trompent pas une oreille aussi exercée que celle d'Ambroise Saindoux. Il court vers l'entrée de son commerce et ce qu'il aperçoit le fait sur-sauter plus haut que la borne-fontaine qui est vissée au trottoir depuis toujours. Des ouvriers s'affairent. Les machines, comme des dragons maléfiques, arrachent la terre à ses entrailles. Un contremaître ventru, casque blanc rivé à la tête, plans de la future construction à la main, hurle des ordres à des fiers-à-bras qui ne demandent qu'à lui obéir.

Ambroise est nerveux. Il demande à ses amis Abraham et Antoinette :

– Qu'est-ce qu'ils font là ? Ils ne vont pas nous construire une basilique devant nos boutiques ? Ils ne vont pas ériger un gratte-ciel pour nous cacher le soleil ? Ils ne vont pas…

– Pourquoi ne pas le leur demander ? propose Mme Antoinette en finissant de polir un bracelet en or.

Le contremaître ne voit quiconque et n'entend personne. Il dirige le mouvement saccadé des pelles mécaniques qui grincent en chœur. Ses hommes suivent les gestes de leur chef comme s'ils étaient des musiciens en plein concert. Ambroise s'approche résolument du patron des opérations et lui tire la manche.

– Eh ! Oh ! Qu'est-ce que vous faites là ? Vous allez faire fuir notre clientèle ! crie Ambroise Saindoux.

– Pardon ?

– QUE FAITES-VOUS DONC ? ajoute-t-il en montrant les travaux qui se déroulent sur le chantier.

– Nous avons ordre de bâtir un grand magasin.

– Quel genre de grand magasin ? s'inquiète Ambroise.

– Il s'appellera *Max le rénovateur*. Il y en a trois dans la métropole, déclare le contremaître. Ça marche fort, les Max !

– *Max le rénovateur*, chez nous ! laisse échapper Ambroise, au comble du désespoir.

– Des prix imbattables, monsieur. Les meilleurs outils, les meilleures peintures, le meilleur service. Douze caissières, cinquante employés, deux cents places de stationnement. Un très beau *Max le rénovateur*, vous allez voir, monsieur.

Ambroise retourne à sa boutique, le cœur chaviré. Abraham tente de l'encourager :

– Il y aura toujours de la place pour un petit quincaillier. Les gens se lasseront d'arpenter des grandes surfaces pour se procurer une vis ou un clou.

– Aucun employé n'aura un aussi joli sourire que le vôtre, Ambroise. Ils reviendront tous. Vous êtes si gentil, ajoute Mme Antoinette.

– Mes prix ne sont pas imbattables, déclare Ambroise, la mine basse.

– Je sais.

– Je n'ai qu'une seule caisse enregistreuse, glisse-t-il.

– Je sais.

– Les clous et les vis sont tous dans le même contenant.

– Nous le savons.

– ALORS, SI VOUS SAVEZ TOUT, POURQUOI ESSAYEZ-VOUS DE ME CONSOLER ?

– Parce que.

– Parce que nous sommes vos amis depuis toujours, murmure Antoinette.

– *Max le rénovateur* ne vendra pas de montres et de bracelets en or ni de draperies faites sur mesure. Vous n'allez pas vous laisser manger la laine sur le dos, Abraham ! Ni vous, Antoinette !

— Nous... nous allons continuer à venir acheter chez vous, c'est promis, ajoute Antoinette en retournant à sa bijouterie.

— C'est sûr. J'ai justement besoin d'une vis pour réparer le tiroir de ma petite commode, je viendrai vous voir, conclut Abraham avant de se rendre à sa boutique de draperies.

Chapitre 3
Vente de fermeture

Les jours passent. Le soleil n'est plus au rendez-vous le matin puisque la construction le cache. Ambroise n'ouvre plus ses auvents. Il ne rit plus avec ses amis et ses clients se font plus rares. Même que le soir, après avoir bu sa tasse d'eau chaude au citron, Ambroise pleure en pensant à *Max le rénovateur* et à toutes ces années de travail qu'il a consacrées à sa petite boutique. Tiens, même s'il offre une réduction de 40% sur la peinture à l'huile, les clients préfèrent attendre l'ouverture de *Max le rénovateur* pour repeindre leur maison.

Un matin, la radio locale annonce fièrement l'ouverture du *Max le rénovateur* le plus grand du pays. Une voix très enthousiaste offre des sucettes aux enfants, et des fleurs aux dames. Pour les messieurs, des casques de peintre avec le nom de *Max le rénovateur* dessus. Quelle aubaine !

À 8h30, Ambroise n'a pas de place pour garer sa petite voiture dans le stationnement municipal. Il est incapable de se rendre à l'entrée de sa boutique tant la foule ressemble à une haie de ronces. Le petit quincaillier reconnaît Théodule, M. Poupart et même Mme Simard, ses anciens clients, venus à la grande ouverture de son compétiteur.

À 9h00, Ambroise se rend à son arrière-boutique, attrape une planche et un pot de peinture rouge. Il écrit dessus : VENTE DE FERMETURE.

Il attend que la foule se tourne vers sa boutique et la vide de ses objets en solde. Il n'y vient personne.

De l'autre côté de la rue, des clowns et une fanfare s'amènent et offrent des ballons aux enfants qui crient de joie.

À 11h00, Ambroise tourne son affiche de l'autre côté et inscrit dessus : FAILLITE. TOUT DOIT ÊTRE VENDU.

Il est maintenant midi et Ambroise n'a toujours pas entendu une seule fois la clochette qui tinte lorsque la porte s'ouvre.

Il lorgne du côté de *Max le rénovateur*, prend une grande inspiration, ferme la porte et la verrouille. Il retrouve sa petite voiture et retourne chez lui où ne l'attend certes pas Mme Claudette, au beau milieu de l'après-midi.

Le lendemain, lorsque les choses se sont calmées dans la rue des Margotons, Ambroise embarque, dans sa roulotte, toute la marchandise de sa boutique de quincaillerie.

Il se rend à Saint-Charles, dans le quartier le plus riche du village voisin de Sainte-Pétronelle.

Les gens de Saint-Charles aperçoivent une mignonne roulotte blanche passer dans la rue principale. Dessus, c'est écrit : AMBROISE BRIC-À-BRAC.

Ambroise s'installe place du Marché, juste à côté de la fontaine. L'endroit est joli et les oiseaux chantent dans les sorbiers. Il déploie ses auvents, ouvre les portes et étale ses objets les plus hétéroclites (encore eux !) sur la pelouse : des tournevis et des scies à ruban, des casseroles et des sacs à ordures, des grille-pain et des fours à micro-ondes, des clous et des vis, des tuyaux et des robinets sans oublier des casques de peintre avec AMBROISE BRIC-À-BRAC dessus.

– Oyez ! Oyez ! Je vous offre les meilleurs, les meilleurs, les meilleurs prix en ville, scande le marchand avec enthousiasme.

Un homme, vêtu d'un beau complet en laine et d'un feutre gris inspecte un aspirateur électrique. Il le tripote, le tourne dans tous les sens.

– Seulement 79$, cher monsieur ! Une aubaine !

– La brosse est trop petite. J'ai des tapis très épais chez moi, vous savez. Merci quand même.

Et le client s'éloigne en faisant tournoyer son beau parapluie tout neuf. Puis, c'est au tour d'une grosse dame d'inspecter un rouleau de papier peint.

– Regardez, ma petite dame, comme il

est intéressant ce papier peint avec ses oiseaux tenant de jolis rubans dans leur bec. C'est du pur rococo. Il donnera du style à votre pièce.

— C'est pour la niche de ma chienne Boucane. Elle déteste les oiseaux, je vous remercie.

— Mais, je vous offre celle-ci avec des petits cochons dessus. Peut-être Boucane aime-t-elle les petits…

— Non, merci.

— Mais je vous le fais à 8$ le rouleau, insiste Ambroise.

— Je n'ai plus le goût du papier peint, termine la dame en s'éloignant.

Ambroise est découragé. Les clients ne sont guère intéressés par sa marchandise même si le commerçant la leur offre en solde.

Soudain, un homme s'avance avec son fils qui ne tient plus en place.

— Combien pour ce train électrique ? demande-t-il à Ambroise.

– 50$, pour vous, cher monsieur.

– 50$? Mais *Max le rénovateur* l'offre à 39,95$, s'écrie le petit garçon.

Ambroise est vexé. Il remballe toute la marchandise dans sa roulotte, rabat ses auvents, referme porte et fenêtres et quitte la place du Marché aussi vite qu'il est venu.

Chapitre 4
Vous dites, Maigredouce ?

Le lendemain, Mme Claudette encourage son mari.

– Ambroise, tu devras emprunter la grande route et te rendre du côté de la montagne. Là, tu trouveras des clients pour acheter ton bric-à-brac. Sinon, comment allons-nous vivre ?

Ambroise astique sa roulotte, brosse les auvents et fait briller les vitres. Il ajoute quelques drapeaux du pays et des guirlandes colorées pour attirer la sympathie des enfants.

Alors que le soleil ressemble à un gros ballon rose dans un ciel tout bleu, la roulotte *Ambroise bric-à-brac* s'ébranle en direction de la route nationale. Cette voie mène à la montagne, là où les arbres sont plus hauts que *Max le rénovateur*, et les oiseaux, plus rapaces que le grand magasin de quincaillerie

Bientôt, Ambroise arrive à la montagne. Il se demande qui pourra bien acheter son bazar puisque l'endroit semble plutôt désert.

Sur sa droite, le quincaillier remarque une maison tout en bois avec une grande galerie sur laquelle une vieille dame se berce en fixant son jardin fleuri.

– Bonjour, madame. Vous n'avez pas besoin d'un aspirateur, d'un humidificateur, d'un poêlon électrique ?

– Je n'ai besoin de rien, monsieur.

– J'ai des clous, des boulons, des marteaux et des scies.

– J'ai tout ce qu'il me faut, vous dis-je ! réplique la dame en replaçant son chignon.

– J'ai aussi de beaux réveille-matin, des rouleaux de papier peint avec des oiseaux dessus et de jolis petits coch…

– Je suis une sorcière, moi, môssieur ! Une recette de mon grimoire, et j'obtiens tout ce que je veux.

– Vous… vous êtes… une véritable sorcière ?

– Bien sûr. De mère en fille, môssieur. Tiens, justement, demain, je me rends de l'autre côté de la montagne au Sommet international des spécialistes des sortilèges. Du jamais vu ! Nous serons plus de deux mille sorciers, magiciens, envoûteurs et chamans. Il y a un grand concours entre les participants des différents pays. C'est très important. Voulez-vous vous asseoir, môssieur ?

Ambroise se dit qu'une sorcière est certes la personne idéale pour l'introduire dans un cercle de nouveaux clients. La dame a l'air sympathique.

Au fil de la conversation, il apprend qu'elle s'appelle Maigredouce, qu'elle aime les papillons et qu'elle est l'inventrice de la crème Zip ! qui faire disparaître les verrues de la figure des sorcières.

— Je cherche depuis hier comment arriver à préparer ma mixture pour les mille neuf cent quatre-vingt-dix-neuf sorciers et sorcières qui veulent essayer ma crème magique contre les verrues. Tout un contrat !

— Je suis certain que je puis vous aider, Maigredouce. J'ai plein d'astuces dans ma caboche.

— Attendez que j'aille chercher mon grimoire des Quatre-Saisons.

La sorcière Maigredouce court vers son secrétaire, ouvre le tiroir et sort son grimoire. Elle revient vers Ambroise et tous les deux, ils se penchent sur la table des matières.

– **C**asserole de vipères pour transformer une jeune fille en serpent à sonnettes. **C**assoulet de pattes de tortue pour ralentir un enfant hyperactif. Ce n'est pas ça. **C**érémonie nocturne pour faire chanter les fées. Ce n'est pas ça non plus. Ah, ici ! **C**rème pour faire disparaître les verrues du visage des sorcières. Regardez, Ambroise, c'est écrit : Crème Zip ! Inventée par la sorcière Maigredouce en 1931. C'est moi, vous voyez ? explique-t-elle à Ambroise. Je dois multiplier la recette par deux mille ! C'est un travail énorme. Je ne sais pas comment je vais y arriver. Je dois préparer cette mixture au concours de l'Aurore. Nous avons trois heures pour présenter notre spécialité. Comment vais-je y arriver ?

– Nommez-moi les ingrédients de cette recette, je vais voir ce que je peux faire.

Maigredouce sort ses lorgnons, se les juche sur le nez, s'installe en équilibre sur son balai en lui criant : reste ! Puis elle procède à la lecture des ingrédients qui entrent dans la composition de la crème Zip ! en multipliant la recette par deux mille au fur et à mesure.

– Deux mille cuillères à soupe d'eau de soufre amassée au petit matin dans les marais pestilentiels au sud d'une montagne

Six mille crottes de mouches bien sèches

Quatorze mille poils de barbe de dragon bleu (le dragon rose peut aussi convenir)

Seize mille dents de hérissons réduites en menus morceaux

Cent ailes de chauves-souris grillées

Le miel de quatre cents abeilles

Six kilogrammes de poudre de

champignon vénéneux délayée dans douze litres de bave de diable de Tasmanie.

– C'est tout ? demande Ambroise.

– C'est tout, conclut Maigredouce à bout de souffle.

Ambroise est estomaqué par la somme impressionnante d'ingrédients que nécessite la recette de la crème Zip ! Il réfléchit en se curant les oreilles et en lissant les poils de ses moustaches. Puis, il a une idée.

Chapitre 5
Robot, extracteur et mélangeur !

L e quincaillier se rend à sa roulotte et bientôt, CLING ! CLANG ! Ambroise se promène sous l'amas de bric-à-brac, trifouille entre ses appareils électriques, grommelle, trépigne puis couine de joie.

— Tiens, les voilà. Une pompe submersible avec un moteur super-hyperextra efficace pour amasser votre eau de soufre sans vous salir les doigts. Et aussi, cet aspirateur de manufacture...

– Que vais-je donc faire avec un aspirateur de manufacture, Ambroise ?

– Récolter vos crottes de mouches, pardi ! Vous n'avez qu'à passer le tuyau sur les moustiquaires, et hop ! vous aurez six mille crottes de mouches dans le temps qu'il faut pour le dire ! Finies les crampes dans les doigts à pincer chaque petit caca séché ! Finis les yeux abîmés à fureter entre les mailles des grillages !

– Vous êtes brillant, Ambroise. Oh, que vous êtes brillant !

– Et pour les poils de barbe de dragon bleu, taram ! Voici la tondeuse à gazon la plus puissante de l'heure. Même *Max le rénovateur* n'en vend pas de pareilles. Vous appuyez sur ce bouton et zoum ! Vous pouvez raser votre dragon bleu en deux temps trois mouvements ! Finies les tendinites à épiler les quatorze mille poils de barbe du bout de vos pincettes !

– Quel héros vous êtes, mon cher Ambroise ! Oh, quel héros !

Le marchand est fier de ses trouvailles. Il saute comme un collégien, encouragé par ses découvertes.

– Et voici le meilleur robot culinaire jamais inventé. Il tranche, découpe et hache menu.

– Mais je n'ai pas l'intention de leur faire une salade de chou ou de carottes râpées ! Me prenez-vous pour une simple cuisinière ?

– Mais non, avec ce robot culinaire, vous pourrez trancher vos dents de hérissons en menus morceaux. Un, deux, trois, appuyons le doigt !

– Vous êtes un génie, Ambroise. Oh, un vrai génie !

– Puis, un grille-pain à quatre fentes pour économiser du temps. Vous y ferez griller vos ailes de chauves-souris en un tournemain !

– C'est un ravissement ! réplique Maigre-douce, débordante d'admiration.

– Ce n'est pas fini, ma petite dame ! Voici un extracteur de grand calibre pour récupérer tout le miel qu'il vous faut. Puis pour terminer, ma chère amie, voici un mélangeur à dix vitesses pour pulvériser vos six kilogrammes de champignons véné-neux… sans vous éclabousser la figure.

Maigredouce jubile. Elle applaudit comme une fillette qui reçoit un beau bal-lon rouge.

– Mais, Ambroise, qu'avez-vous à me proposer pour récupérer la bave du diable de Tasmanie ?

Le quincaillier aux mille astuces se met à réfléchir profondément à propos de ce diable d'animal. « Ce marsupial sangui-naire est très féroce. Il dort toute la journée, et la nuit, il la passe entièrement à chasser. Il faut donc le piéger en plein milieu de l'après-midi, durant son roupil-lon. Comme les femelles mettent bas au début du mois de juin, ce sera plus facile de récolter la bave des diablotins au moment où leurs dents percent. C'est en plein le temps d'agir. Voyons, voyons... » marmotte-t-il en faisant les cent pas !

– Eurêka ! Nous aurons donc besoin d'un... d'un... presse-citron électrique pour récupérer la bave des diables de Tasmanie, crie-t-il en sautillant.

Maigredouce fait la grimace. La récupération de la bave du diable de Tasmanie lui a toujours levé le cœur mais son flacon est vide depuis plus de deux mois. Elle doit le remplir de nouveau. Et plusieurs litres, en plus ! Et pas question de se servir de la magie. Elle accepte donc l'offre de cet Ambroise qui lui apparaît de plus en plus comme un sauveur.

– Bon, allons-y pour le presse-citron électrique, soupire-t-elle de soulagement. Mais, j'ai une autre faveur à vous demander, mon petit Ambroise (cette marque d'affection touche le petit marchand en plein cœur). Je voudrais que vous vous occupiez de la récolte de cette bave. Je… j'ai très peur du diable de Tasmanie. Il me fait dresser les poils sur les bras.

— Je ne sais pas, euh…

— Je vous promets de réaliser votre plus grand rêve si vous acceptez. Dites oui, ce ne sera qu'un tout petit mauvais moment à passer.

— Mon plus grand rêve, vous dites ?

— Je le réaliserai. Promis.

— Alors, j'accepte.

Maigredouce saute sur le petit Ambroise et l'embrasse timidement mais avec toute l'affection du monde.

— Vous êtes gentil, mon petit Ambroisou ! Maintenant, allons-y ! Il faut rassembler les ingrédients. Dès l'aube, demain matin, je dois cueillir l'eau de soufre du marais pestilentiel. Le Sommet international des spécialistes des sortilèges a lieu demain soir à 11h07, un tic-tac et un branlant ! Je vous l'ai dit, j'ai trois heures pour tout préparer. Nous n'avons pas une minute à perdre.

– Vous verrez, ma petite dame, votre crème Zip ! va faire sensation ! Jamais figures de sorcières n'auront été aussi lisses et vous, aussi heureuse.

Chapitre 6
Quatorze mille poils de barbe de dragon

Il est cinq heures du matin. Un faible rayon de soleil s'infiltre timidement entre les stores vénitiens de la roulotte *Ambroise bric-à-brac*. Le commerçant s'étire puis se lève comme mû par un ressort. Il déjeune de trois œufs à la coque et de rôties de seigle, de quatre tranches de tomate et d'un café au lait bien sucré.

Puis, il se passe une débarbouillette d'eau fraîche sur la figure et sous les aisselles, enfile son habit de vendeur de quincaillerie et se rend chez Maigredouce.

Celle-ci est très nerveuse. Le jour du concours de l'Aurore est arrivé.

– Alors, mon petit Ambroise, vous êtes prêt ? Votre pompe électrique est-elle bien huilée ? Les tuyaux sont bien fixés ?

– Oui, mon capitaine ! lance Ambroise.

– En route pour les marais pestilentiels du sud de la montagne !

Lorsque le soleil prend sa place à l'est de la montagne des Goreilles, encapuchonné dans un amas de nuages tout blancs, on peut apercevoir une vieille sorcière, portant avec peine deux bidons de métal. À ses côtés, un petit homme replet, traînant une pompe suivie d'un long fil qui puise l'énergie électrique dans sa voiture, garée à quelques mètres. Les complices se tiennent au bord des marais puants et y puisent l'eau de soufre, en se pinçant les narines.

— Hou, là, là ! Ça sent le pet, ce marais !
En avez-vous assez, Maigredouce ?

— Je crois que le compte est bon. Je
tiens assurément mes deux mille cuillères
à soupe.

Maigredouce et Ambroise reviennent
à la maison de la sorcière, question de se
préparer aux festivités entourant le concours de l'Aurore.

— Je vais passer l'aspirateur pendant
que vous allez à la recherche de votre
dragon bleu. Qu'en pensez-vous ? demande
Ambroise.

— Le plus difficile sera de le raser de
près. Quatorze mille poils de barbe de
dragon, ce n'est pas rien ! Il me faut une
échelle, un câble et un piolet. Et cette
tondeuse que vous m'avez vendue.

— Vous… vous n'avez pas peur des
dragons ?

— Pourquoi en aurais-je peur ? Les
dragons sont les alliés des sorcières, vous

savez bien. Quoique le dragon bleu est particulièrement revêche lorsqu'on le dérange. J'apporte tout de même ma baguette magique. Juste au cas où il aurait besoin d'un peu d'encouragement au calme.

Ambroise se met au travail. Il saisit le tuyau de l'aspirateur et le promène sur les portes et sur les fenêtres extérieures, sur le chemin de cailloux plats et sur les arbres. Puis, il ouvre le sac rempli de poussières diverses et, à l'aide d'une pince à épiler, se met à compter les crottes de mouches, une à une. Il dépose chacune d'entre elles dans une bouteille.

Pendant ce temps, Maigredouce s'approche d'un très vieux dragon bleu qui sommeille à l'entrée d'une caverne humide. Pour ne pas se faire avaler tout rond, elle agite sa baguette magique en l'implorant de ne plus bouger.

Par la barbe de Bartholomé
Je t'exhorte à l'immobilité

Pas un son pas un mouvement
Pour une heure et demie durant
Plexus, mixus, détritus et omnibus
Ma baguette te l'ordonnus !

Le dragon ouvre un œil puis le referme aussitôt. Bientôt, on peut entendre ses ronflements dans toute la montagne… accompagnés d'un bruit de moteur de tondeuse à gazon. Un ronronnement bizarre qui fait fuir les oiseaux et les petits animaux qui rôdent par là.

Lorsque le dragon bleu s'éveille, Maigredouce a rempli son sac à gazon coupé d'une somme convenable de poils de barbe de dragon. Au moment où l'énorme bête commence à s'ébrouer, Maigredouce est déjà loin. Son rire éclate dans la montagne comme des glaçons se brisant sur les rochers.

Elle rejoint Ambroise qui finit de compter les crottes de mouches.

– Cinq mille neuf cent quatre-vingt-dix-huit, cinq mille neuf cent quatre-vingt-dix-neuf, six mille ! Voilà, le compte y est. Vous les avez toutes. Pas une de plus, pas une de moins, crie-t-il avec fierté.

— Nous méritons bien un petit goûter, pas vrai ? Je vais vous fricoter un cuisseau de gnou à la cervelle de perdrix avec…

— Non, non… merci, Maigredouce. Je ne mange pas de ces trucs compliqués.

— Alors, un sandwich aux tomates avec du cœur de hérisson à la langue d'alouette.

— Juste un sandwich aux tomates, ce sera parfait. Comme me les fait ma femme. Avec un tantinet de laitue et un soupçon de mayonnaise.

— Comme vous voudrez, Ambroise.

— Et n'oubliez pas votre promesse.

— Ma… promesse ?

— Oui, ce vœu que vous devez réaliser pour moi, vous vous rappelez ?

— Si, si… ce que vous voudrez. C'est promis. Mais mangeons vite notre dîner car nous avons encore beaucoup à faire.

Chapitre 7
L'ange de la mort

Installés sur une couverture de poil de chat sauvage, sous le couvert d'un immense saule, Maigredouce et Ambroise mangent et bavardent de tout et de rien.

– Il nous faut maintenant attraper vos huit cents hérissons et vos cinquante chauves-souris. Ah, là, là ! Ça va être tout un travail, se plaint Ambroise.

— Laissez faire. Je connais un marchand de ce village qui vend des dents de hérissons et des ailes de chauves-souris bien fraîches. Nous n'aurons qu'à trancher les dents en menus morceaux et à faire griller les ailes. On s'entraide dans ce coin de pays, mon cher Ambroise. Je me rends à la boutique de M. Martiniquet pendant que vous... vous trouverez le miel et les champignons vénéneux dans la forêt de la Cerise Binx.

— Mais je ne connais pas les champignons, moi. Comment repérer les vénéneux ?

— Fouillez dans ce livre, suggère Maigredouce. Regardez bien les illustrations et vous les découvrirez dans la forêt de la Cerise Binx. Mais n'y goûtez pas, surtout.

— Pour qui me prend-elle ? maugrée Ambroise qui commence à ressentir la fatigue.

Il ouvre le livre sur les champignons.

Ceux-ci sont classifiés et à côté de chacun, il y a une petite icone qui indique s'il est comestible ou, au contraire, toxique.

— Il y a le pleurote, *délicieux dans les sauces et dans les salades*, puis ceux-ci, l'armillaire que l'on trouve sous les sapins, la chanterelle, le champignon préféré des gastronomes, l'amanite tue-mouches. Elle est bien jolie avec son chapeau rouge saupoudré de grains de sel. Oh, là, là ! C'est écrit : *Très toxique, ce champignon peut provoquer la mort. On l'appelle d'ailleurs l'ange de la mort.* C'est celui-ci qu'il me faut pour la recette de la crème Zip ! Je prends ce sac et cette paire de gants. Allons-y !

Bientôt, Ambroise parcourt la forêt de la Cerise Binx. Il furète comme un chien renifleur, le dos courbé et l'œil aux aguets. Bientôt, il extrait de la terre humide une centaine d'amanites tue-mouches bien grasses et très toxiques qu'il manipule avec grand soin.

Maigredouce rejoint Ambroise devant sa chaumière. Il tient précieusement le sac rempli des champignons vénéneux.

– Mais… mais… qu'avez-vous sur la figure, mon petit Ambroisou ? Votre peau est remplie de pustules. Vous ressemblez à une pizza double pepperoni ! Qu'avez-vous fait, malheureux ?

– J'ai… j'ai cueilli vos maudits champignons vénéneux, pardi ! Ah, ça pique ! Ça chauffe ! Ça gratte ! Vite, de l'eau froide !

Ambroise aperçoit une petite mare qui ouvre son œil noir entre les longues tiges des quenouilles. Il s'élance et s'y plonge tête première, puis ressort en se frottant avec énergie.

– Les boutons ne piquent plus mais ne veulent pas partir. Regardez-moi cette tête que j'ai ! lance-t-il en se mirant sur la surface de l'eau.

Maigredouce est très songeuse. Elle se demande comment soulager le pauvre homme.

– J'y pense, Ambroise. Un peu de magie…

– Non, jamais ! Je ne veux pas gaspiller le vœu que vous m'avez promis de réaliser. Je tiens à ce que vous conserviez votre baguette pour les causes plus importantes, là !

– Mais, vous ressemblez à un biscuit à l'avoine et aux raisins secs.

– J'ai dit !

– À un paillasson de fibres de coco !

– J'ai dit !

– À un chemin de gravier !

– Ne me faites pas rager, Maigredouce !

– Bon, c'est comme vous voulez. Il vous faudra attendre, alors, ajoute Maigredouce.

– Attendre ?

– Attendre la fin du grand concours de l'Aurore pour utiliser ma crème Zip !

– Mais, j'y pense. Je dois aller chercher cette bave de diable de Tasmanie. Combien de temps nous reste-t-il ?

— Cent trente-trois minutes, exactement, précise Maigredouce.

Ambroise est très inquiet. Où donc trouver des diables de Tasmanie si ce n'est en Tasmanie ? Et le temps presse.

— Euh… madame… je crois qu'il faudra avoir recours à la magie cette fois. Je laisse tomber mon vœu. Il faut jouer de la baguette car je ne crois pas pouvoir extraire la bave du diable de Tasmanie tout seul. C'est impossible.

— C'est très généreux de votre part, mon petit Ambroisou. C'est loin, la Tasmanie. Alors, j'accepte d'utiliser la magie.

Par la barbe de mon grand balai
Et le bout de la queue de mille souris
Je voudrais obtenir, s'il vous plaît
Douze litres de bave de diable de Tasmanie.

La magie opérant, un flacon géant apparaît devant Maigredouce, et Ambroise, qui est triste d'avoir perdu la chance de réaliser son vœu le plus cher, commence à s'énerver.

— Il faut se rendre au lieu de rassemblement, vite !

— Il faut surtout rassembler les ingrédients et être certains qu'il n'en manque pas un seul. Venez, nous allons en faire l'inventaire.

Chapitre 8
Un inventaire du tonnerre !

Ambroise connaît bien les inventaires. À chaque année, à l'approche de Noël, lui et Claudette procèdent au ménage de la boutique et inscrivent le nombre d'objets qui restent à vendre. Cette seule pensée redonne au petit commerçant une énergie nouvelle. Il a hâte que la crème Zip ! fasse disparaître ces énormes verrues sur sa figure. Il prend un petit cahier et inscrit les éléments de la recette de la fameuse crème afin de s'assurer qu'ils sont tous là.

— L'eau de soufre : deux mille cuillères à soupe ?

— Je les ai ! s'écrie Maigredouce.

— Six mille crottes de mouches ?

— Elles y sont !

— Quatorze mille poils de barbe de dragon bleu.

— J'en ai au moins vingt mille, regardez-moi ça, affirme la sorcière en tenant un bocal de verre.

— Seize mille dents de hérissons en menus morceaux, cent ailes de chauves-souris grillées et le miel de quatre cents abeilles, six kilogrammes de poudre de champignon vénéneux…

— Ah, mon dieu ! Nous avons oublié de les trancher, de les griller, de les extraire et de les pulvériser ! Il nous reste à peine une heure, Ambroise. Faites quelque chose !

s'énerve Maigredouce en piétinant nerveusement.

Ambroise va chercher le robot culinaire et tranche les dents de hérissons pendant que Maigredouce fait griller les ailes de chauves-souris à l'aide du grille-pain à quatre tranches. Puis, ils placent le miel dans l'extracteur électrique pour exprimer le précieux liquide de la cire des abeilles, et ils pulvérisent les champignons vénéneux nécessaires à la recette de la crème Zip !

Fatigués et rompus, les deux complices n'ont pas le temps de se reposer.

– Vous avez la bave de diable de Tasmanie ?

– Oui, mon capitaine ! Elle sert à cicatriser les plaies, c'est très utile.

– Je crois que nous avons tous les ingrédients. J'embarque tout dans le coffre de ma voiture et hop ! nous y sommes dans quelques minutes !

Maigredouce saute sur Ambroise et lui

applique vingt gros bisous sur la joue. Le pauvre homme n'a jamais reçu pareille marque d'affection d'une étrangère, encore moins d'une sorcière. Claudette ne va pas le croire !

La route entre les arbres serrés est cahoteuse, encombrée de racines et parsemée de gros cailloux. Au-dessus d'eux, Ambroise et sa passagère aperçoivent parfois des sorcières sur leur balai ensorcelé. D'autres utilisent des bolides motorisés, à voile ou à ailes géantes.

– Elle, c'est Naphtaline-la-Soupe. Elle vit dans la grotte de la Marmite en Ukraine. Lui, c'est Martin-le-Pirate, il serpente les mers comme un flibustier d'une autre époque. Il n'a jamais accepté la modernité, raconte Maigredouce, les yeux fixant le firmament entre les feuillages. Encore heureux qu'il ait quitté son navire pour participer au Sommet international des spécialistes des sortilèges.

Chapitre 9
Salomon Mirepoix de la Quiche

À 11h07, exactement, les participants à ce fameux Sommet international des spécialistes des sortilèges se rassemblent autour d'une scène gigantesque sur laquelle se tient un jeune et beau sorcier.

Maigredouce se penche et murmure à l'oreille de son invité.

– Lui, c'est Salomon Mirepoix de la Quiche. Un jeune animateur de la radio nationale dont toutes les jeunes sorcières sont follement amoureuses. Il va bientôt annoncer le début du concours de l'Aurore.

Ambroise, lui, est un intrus parmi cette assemblée de magiciens mais, par chance, les verrues qui ornent sa figure le font aisément passer pour un des leurs.

Salomon Mirepoix de la Quiche se racle la gorge, attend que l'assemblée soit silencieuse puis il avance son index qui s'est allumé comme un feu de Bengale. L'animateur approche son doigt de sa bouche et dès qu'il parle, sa voix enveloppe l'amphithéâtre tout entier comme s'il s'agissait d'un puissant microphone. Une belle voix chaude et douce, qui ravit tous les magiciens, mages et sorciers, annonce :

– J'invite les participantes et les participants inscrits à ce concours, à me rejoindre sur cette scène. Il y a Herbert Soundtrack des États-Unis qui nous propose un élixir pour accélérer la lecture d'un livre ; Sofia Bonnenski de la Pologne qui nous promet une potion pour faire ses devoirs à l'école en moins de temps qu'il faut pour en prononcer le sujet ; Patatou Lallongé de France qui nous offre un onguent permettant de changer de corps selon les tendances de la mode ; finalement, Maigredouce de la montagne des Goreilles qui va nous fabriquer sa fameuse crème Zip ! contre ces vilaines verrues qui nous affligent tous et toutes. Mesdames et monsieur, veuillez vous tenir prêts.

— C'est à vous, Maigredouce ! Je suis votre plus fidèle admirateur, sachez-le !

— Merci, mon petit Ambroisou. Je m'en souviendrai en temps et lieu.

Maigredouce saisit tout son arsenal de spécialiste des cosmétiques, puis grimpe sur la scène avec son chaudron et sa cuillère de bois. Elle sort toutes ses fioles, ses bidons et ses pots remplis des précieux ingrédients si chèrement acquis.

– Au signal, partez ! s'écrie l'animateur.

Maigredouce verse l'eau de soufre des marais pestilentiels puis ajoute les crottes de mouches, les poils de dragon bleu, les dents de hérissons, les ailes de chauves-souris et le miel ; elle manipule la poudre de champignon vénéneux délayée dans la bave de diable de Tasmanie avec grand soin et intègre le tout à la mixture qui commence à bouillir. Bientôt, l'assemblée peut sentir une odeur d'œufs pourris et certains enfants de sorcières se lamentent en se pinçant le nez. Ambroise, habitué aux émanations de térébenthine, de diluants à peinture et de divers produits plus puants les uns que les autres, se tient devant le chaudron de Maigredouce et l'encourage à brasser la mixture avec énergie.

– Le produit doit refroidir et je dois ensuite le fouetter avec le malaxeur électrique d'Ambroise, se dit-elle alors qu'elle ne sent plus son bras tellement il est fatigué.

– Il reste maintenant trois minutes avant la démonstration de votre produit, lance Salomon Mirepoix de la Quiche. Mesdames et messieurs du jury, à vos postes !

Chapitre 10
Du côté de chez Proust

Le jury est composé de vieilles personnalités de la sorcellerie mondiale. Certains ont tellement de verrues dans la figure qu'on dirait des crapauds. Les jurés sont assis devant une table et ils portent, comme aux Jeux olympiques, des cartons avec des numéros de 1 à 10.

Herbert Soundtrack choisit une jeune

sorcière dans l'assemblée et lui fait boire, avec la permission de ses parents, l'élixir qu'il a préparé. Il lui offre ensuite *À la recherche du temps perdu* de Marcel Proust en plusieurs volumes. La jeune fille ouvre chacun des tomes et, d'un seul coup d'œil, elle lit l'œuvre en entier. Pour s'en assurer, Herbert Soundtrack pose à l'enfant des tas de questions au sujet des personnages de l'œuvre, de Gilberte Swann au marquis Robert de Saint-Loup-en-Bray, et au sujet de l'intrigue. La preuve est faite : la jeune fille a tout lu Proust en un temps record.

— C'est le cas de le dire, chuchote Ambroise à son voisin, elle n'a pas perdu de temps.

La foule applaudit Herbert Soundtrack qui rougit de plaisir.

— Maintenant, Sofia Bonnenski nous fera la preuve que sa potion magique peut aider un élève à faire ses devoirs à la vitesse de l'éclair, annonce cette fois l'animateur du Sommet.

Le choix de la sorcière se porte sur un petit garçon d'environ 7 ans. Sonia Bonnenski lui fait boire sa potion et lui propose d'écrire 10 pages au sujet des Perséides, ces étoiles filantes qui inondent le ciel d'août de chaque année. En deux minutes, le garçon écrit 10 pages sur le sujet proposé, nommant les constellations, énumérant les planètes de Mars à Pluton, citant Galilée et Hubbles, donnant des dates précises. Tous les participants sont estomaqués. Une telle somme de connaissances pour un si petit garçon ! La foule applaudit à tout rompre, comprenant à quel point une telle invention pourra révolutionner le mode d'apprentissage.

– Voyons maintenant l'onguent de Patatou Lallongé, qui pourra vous faire changer de corps en un tournemain.

Patatou décide d'appliquer sur elle-même l'onguent qu'elle a préparé. Aussitôt, elle devient ronde comme un ballon.

Ensuite, grande et mince comme un échalas. Deux minutes plus tard, elle adopte l'aspect d'une star de cinéma. Les spectateurs sont renversés. Il leur tarde de se procurer l'onguent de Mme Patatou. Ambroise aimerait bien être plus grand et plus costaud. Mais, évidemment, sa Claudette ne le reconnaîtrait pas, ce qui est très embêtant.

— Voici notre dernière concurrente au concours de l'Aurore : la sorcière Maigredouce nous présente sa crème Zip ! qui promet de rendre les visages de cette assemblée aussi lisses que des fesses de chérubin.

Ambroise aide Maigredouce à distribuer la crème Zip ! à tous ceux et celles qui présentent une verrue ou, au contraire, une armée de pustules sur la peau de leur figure. Chacun applique la crème et bientôt, plus un seul membre de l'assemblée ne présente de verrue sur le nez ou sur le menton. Miracle ! crient les uns.

Bonne mère ! hurlent les autres. Les membres du jury qui, il y a deux minutes, ressemblaient à des crapauds, retrouvent leur épiderme de jeunesse.

Tout à coup, un petit garçon remarque qu'Ambroise a encore la figure remplie de verrues (à cause des champignons vénéneux) et alerte les congressistes.

– Cet homme est un intrus ! Il n'est pas un sorcier ! Qu'est-ce qu'il fabrique ici ?

Maigredouce se sent tout à coup mal à l'aise. Ambroise a été découvert.

– Vite, Ambroise, fuyez ! Je vous attendrai chez moi. Ne les laissez pas vous attraper, parce qu'alors, ils vous changeraient en larve de trombidion ou en lombric ! Courez !

Le petit commerçant court jusqu'à sa voiture sous les étincelles des centaines de baguettes magiques qui s'agitent dans sa direction, frappant une pierre ou le pare-brise de sa petite auto.

– Qu'il se change en souris ! Non, en

chat ! Non, en crocodile ! Non, en balle-
rine ! Et puis zut ! Je l'ai raté ! cacopho-
nent les congressistes.

Chapitre 11
Un *vœu pas très pieux*

Vers treize heures, Maigredouce apparaît au-dessus de la forêt des Goreilles. Elle transporte un minuscule flacon de sa crème Zip! et un énorme trophée en or.

– J'ai gagnééééééé! crie-t-elle en posant les pieds sur le perron de sa maison. Ils ont tellement aimé ma crème que le jury m'a donné 10 sur 10. Comme Nadia Comanecci aux Jeux olympiques de Montréal ! Wooooouuuu ! Je suis tellement excitée, Ambroise. Et, c'est grâce à vous que j'ai obtenu le titre de championne du concours de l'Aurore !

— Je suis bien content pour vous, murmure Ambroise qui se prépare à retourner dans la rue des Margotons.

Il a très hâte de tout raconter à sa femme. Mais avant, il ne peut pas partir avec toutes ces verrues sur la figure. Il attrape la crème Zip ! et en applique une petite quantité et frotte jusqu'à ce que sa peau devienne aussi douce que les fesses d'un chérubin, comme le disait Salomon Mirepoix de la Quiche.

— Pour vous remercier, mon cher Ambroise, je vais réaliser votre vœu le plus cher, tel que je vous l'ai promis. Dites-moi ce qui vous ferait vraiment plaisir.

Ambroise fait mine de réfléchir, seulement pour la forme parce que son vœu ne l'a pas quitté un seul instant.

— Je veux que vous fassiez disparaître *Max le rénovateur*.

— Je ne fais pas ce genre de choses, Ambroise. Je suis une sorcière très charitable. Je ne détruis jamais les gens.

— Max n'est pas une personne, Maigredouce. C'est un grand magasin. Depuis qu'il s'est installé devant chez moi, je ne vends plus rien dans ma boutique. Je ne vois plus mes amis Abraham et Antoinette. Je n'ai plus le courage de chercher un emploi, à mon âge. Je veux retrouver ma petite boutique comme avant. Parler de tout et de rien avec mes clients, sentir la bonne odeur de peinture et de mastic. Je suis né vendeur de quincaillerie, je veux mourir vendeur de quincaillerie. Faites ça pour moi, Maigredouce. Allez !

Maigredouce réfléchit à la manière de procéder.

— Je dois consulter mon grimoire. Ce n'est pas tous les jours qu'on me demande de faire disparaître un magasin tout entier.

Le grimoire présente plusieurs sujets sous la rubrique des disparitions. Elle lit :

— Pour faire disparaître les maboules, les macaques, les macédoines, les machins-trucs, les macramés, les madames, les magazines… mon pauvre Ambroise, il n'y a pas de magasins dans les choses à faire disparaître.

— Cherchez le mot « commerce ».

— Il y a les comas, les concombres mais il n'y a aucun commerce.

— Voyons, voyons, s'énerve Ambroise. Il doit bien avoir un mot pour désigner ce… ce… cet éteignoir de génies, ce… ce… ce voleur d'emplois, ce… ce… cet assassin d'ambitions nobles ! Ce maudit *Max le rénovateur* !

Maigredouce cherche les mots « éteignoir, génie, voleur, assassin, ambition », il n'y a aucune formule magique pour faire disparaître *Max le rénovateur*. Puis, elle tombe par hasard sur le mot « géant ».

– Oh, mon petit Ambroise ! J'ai trouvé : « comment faire disparaître un géant » ! Voilà où il se situe votre *Max le rénovateur*. Lisez, ici. « Géant de la route, des pas de géants, combats de géants, géant de la com-pé-ti-tion ! Votre *Max le rénovateur* n'est-il pas votre pire compétiteur, mon petit Ambroise ?

– Exactement ! Oh, que je suis heureux. Allez-y, je vous écoute.

– *Sans que les yeux ne me louchent*
Sans que votre cœur ne me touche
Que la bouche soit sans cœur
Que la touche demeure
Sans demeure et sans douche
Max le rénovateur *paraît louche*
Et patati et patatouche
Disparaîtra comme une mouche !

Maigredouce tombe sur son séant, totalement épuisée.

– La magie est très exigeante, vous savez. Retournez à la maison, Ambroise.

Et faites mes amitiés à Claudette. Je dois aller me coucher.

Chapitre 12
Adieu, Max !

Ambroise Saindoux retourne chez lui où l'attend Claudette avec un repas de poulet rôti, le préféré du petit commerçant.

Petit commerçant ? Allons donc !

Il y a plein de clients dans la boutique d'Ambroise Saindoux. Les gens jasent, ils discutent peinture et papier peint, ils fouinent, ils furètent, ils farfouillent parmi les milliers d'objets **hétéroclites** (vous savez ce que c'est, je vous l'ai expliqué deux fois !) qu'offre la boutique de quincaillerie d'Ambroise Saindoux.

En lieu et place du *Max le rénovateur*, de l'autre côté de la rue, le soleil brille de tous ses feux. Sous les grands sorbiers, dans le parc, les enfants jouent et donnent des morceaux de pain aux cygnes et aux canards qui glissent sur l'étang ; ils observent la fontaine de marbre qui coule allègrement avec, en son milieu, la statue d'une drôle de petite bonne femme à l'air coquin. Il est écrit : *Ad majorem Magradulci gloriam,* ce qui signifie : *À la plus grande gloire de Maigredouce.*

Ambroise tend son auvent à l'aide de son tourniquet à auvent. Comme d'habitude, il va saluer ses voisins, Abraham, le fabriquant de draperies sur mesure et Antoinette, la bijoutière. Comme d'habitude, il se rend à l'arrière-boutique, branche la bouilloire et se coule un café frais.

Comme d'habitude, Ambroise Saindoux est heureux.

Table des matières

1. Le gentil commerçant de Sainte-Pétronelle 9
2. Un rival de taille 13
3. Vente de fermeture 19
4. Vous dites, Maigredouce ? 27
5. Robot, extracteur et mélangeur ! 35
6. Quatorze mille poils de barbe de dragon. 43
7. L'ange de la mort 49
8. Un inventaire du tonnerre ! 57
9. Salomon Mirepoix de la Quiche 61
10. Du côté de chez Proust 67
11. Un vœu pas très pieux 73
12. Adieu, Max ! 79

Née au beau milieu du vingtième siècle, Francine Allard a écrit des dizaines de romans pour les enfants et pour les adultes. Des essais, de la poésie, des argumentaires politiques, des entretiens et des romans. L'écriture est sa complice et la peinture, son complément.

Elle manie le pinceau, le clavier et l'humour d'égale manière. Elle vit à Oka dans les Basses-Laurentides, là où les routes sont comme des dos de chats… quand elles ne sont pas barricadées. *Ambroise bric-à-brac* est sa seconde œuvre publiée aux éditions TROIS.

Illustrateur professionnel depuis 1986, Jean-Marc Saint-Denis a illustré des manuels scolaires, des romans pour les jeunes et pour les adultes, des pochettes de disques, des revues et des journaux, chez des éditeurs québécois (avec une légère bifurcation aux USA).

Le jour à Wentworth est son premier livre en B.D. (Soulières Éditeur) comme auteur et illustrateur. Cet ouvrage, inspiré d'une nouvelle de H.P. Lovecraft, a été réalisé sur une période de dix ans, à raison de 2 à 3 mois par page !

Un autre roman graphique est en prépara-tion : *L'appel de Cthulhu*, en plus d'autres projets B.D. et musicaux, toujours dans l'univers du fantastique et du grotesque (dont ceux de H.P. Lovecraft et d'Edgar Allan Poe, ses deux idoles).

En 2003, il a brillamment illustré le roman de Francine Allard intitulé *L'Univers secret de Willie Flibot* (Hurtubise HMH). Plusieurs critiques ont comparé ses dessins aux gravures de Gustave Doré.

Il est facile à reconnaître avec sa chevelure abondante et sa singulière barbe d'une autre époque... celle des Vikings, peut-être. Il voit la vie en couleurs, mais celles d'un daltonien, ce qui n'a rien à voir avec les ennemis de Lucky Luke, les frères Dalton.

Je vois la vie en vert... dit toujours Jean-Marc Saint-Denis.

Titres parus dans la collection
Jamais deux sans TROIS

Allard, Francine
    Amboise bric-à-brac, roman jeunesse, 2004.

Amyot, Geneviève
    Corneille et Compagnie, 1 : La grosse famille, roman jeunesse, 2001.
    Corneille et Compagnie, 2 : Chiots recherchés, roman jeunesse, 2002.

Brière, Geneviève
    La comptine magique, album jeunesse, 2003.

Chevrette, Christiane
    Pain d'Épices au Royaume de la Voyellerie, album jeunesse, 2001.
    Ginger Bread in the Kingdom of the Vowels, album jeunesse, traduit du français par Lou Nelson, 2002.
    Ô Pain d'Épices, album jeunesse, 2003.

Fortaich, Alain
    La dragonne qui avait perdu sa flamme !, roman jeunesse, 2003.

Milićević, Ljubica
    Marina et Marina, roman jeunesse, 2002.

Sicotte, Anne-Marie
    Le lutin dans la pomme, roman jeunesse, 2004.

Achevé d'imprimer
sur les presses de
MédiaPresse inc.
Mascouche (Québec)
quatrième trimestre 2004